3 4028 07246 8987
HARRIS COUNTY PUBLIC LIBRARY

P9-AOH-808

图书在版编目(CIP)数据

雪人历险记 / [奥地利]米拉·洛贝文；[德国]温弗里德·欧佩根诺斯图；刘海颖译. —武汉：湖北美术出版社，2008.8
（海豚绘本花园系列）
ISBN 978-7-5394-2326-5

Ⅰ.雪… Ⅱ.①米…②温…③刘… Ⅲ.图画故事—奥地利—现代 Ⅳ.I516.85

中国版本图书馆CIP数据核字(2008)第107562号
著作权合同登记号：图字17-2008-062

雪人历险记

[奥地利]米拉·洛贝 / 文　[德国]温弗里德·欧佩根诺斯 / 图
刘海颖 / 译　责任编辑 / 余　杉　刘梦霞
美术编辑 / 沈　霞　装帧设计 / 付莉萍
出版发行 / 湖北美术出版社　经销 / 全国新华书店
印刷 / 恒美印务（广州）有限公司
开本 / 889×1194　1/16　2印张
版次 / 2008年9月第1版第1次印刷
印数 / 1-5000册
书号 / ISBN 978-7-5394-2326-5
定价 / 26.00元

Es ging ein Schneemann durch das Land

策划 / 海豚传媒股份有限公司　网址 / www.dolphinmedia.cn　邮箱 / dolphinmedia@vip.163.com
咨询热线：027-87398305　销售热线：027-87396822
海豚传媒常年法律顾问 / 湖北立丰律师事务所　王清博士　邮箱 / wangq007_65@sina.com

[奥地利]米拉·洛贝/文
[德国]温弗里德·欧佩根诺斯/图　刘海颖/译

雪人历险记

湖北美术出版社

在房子前面的花园里，站着一个雪人。

和所有雪人一样，他戴着一顶旧帽子，还长着一只又长又尖的胡萝卜鼻子。

外面的天气好冷好冷。

房子里面却很暖和。

当全家人坐在房间里一边喝咖啡，一边吃着圣诞节饼干的时候，小丽萨站起来走到了窗前。

她冲着结满冰花的玻璃窗哈了一口气，然后从冰花化开的地方向外望去。

“好孤单的雪人哦！”小丽萨心里想，“他一定很冷很冷吧？我要去给他喝一口茶，那样他就会暖和起来啦。”

小丽萨跑到花园里，喂雪人喝了一口茶，然后又跑回了房间。

就在这时，那个原本很普通的雪人，变得再也不像以前那么普通了。

他的脑子里突然有了想法啦：那是一种不安分的、奇异的念头。

而那些普通的雪人根本不会动脑子，没有感情，也没有思想。

他们只会笨笨地站在那里，一声不吭。

“身上好痒啊！”雪人心里想，“一定是热茶起作用啦。呵呵，我是不是变成了茶雪人啦？”

雪人心里好高兴哦！他想：“雪人只能呆呆地站着，茶雪人却可以到处跑来跑去呢。”

茶雪人迈开雪白的脚丫，慢吞吞地向花园门口走去。

到了门口，他还转身冲着小丽萨挥了挥手。要知道，一个可以四处走动的茶雪人，当然也会转身了。

只是，因为窗户上那块冰花融化的地方，又结满了冰花，小丽萨没有看到他。

茶雪人迈着笨笨的步子走出了花园，开始在城里东走西逛。

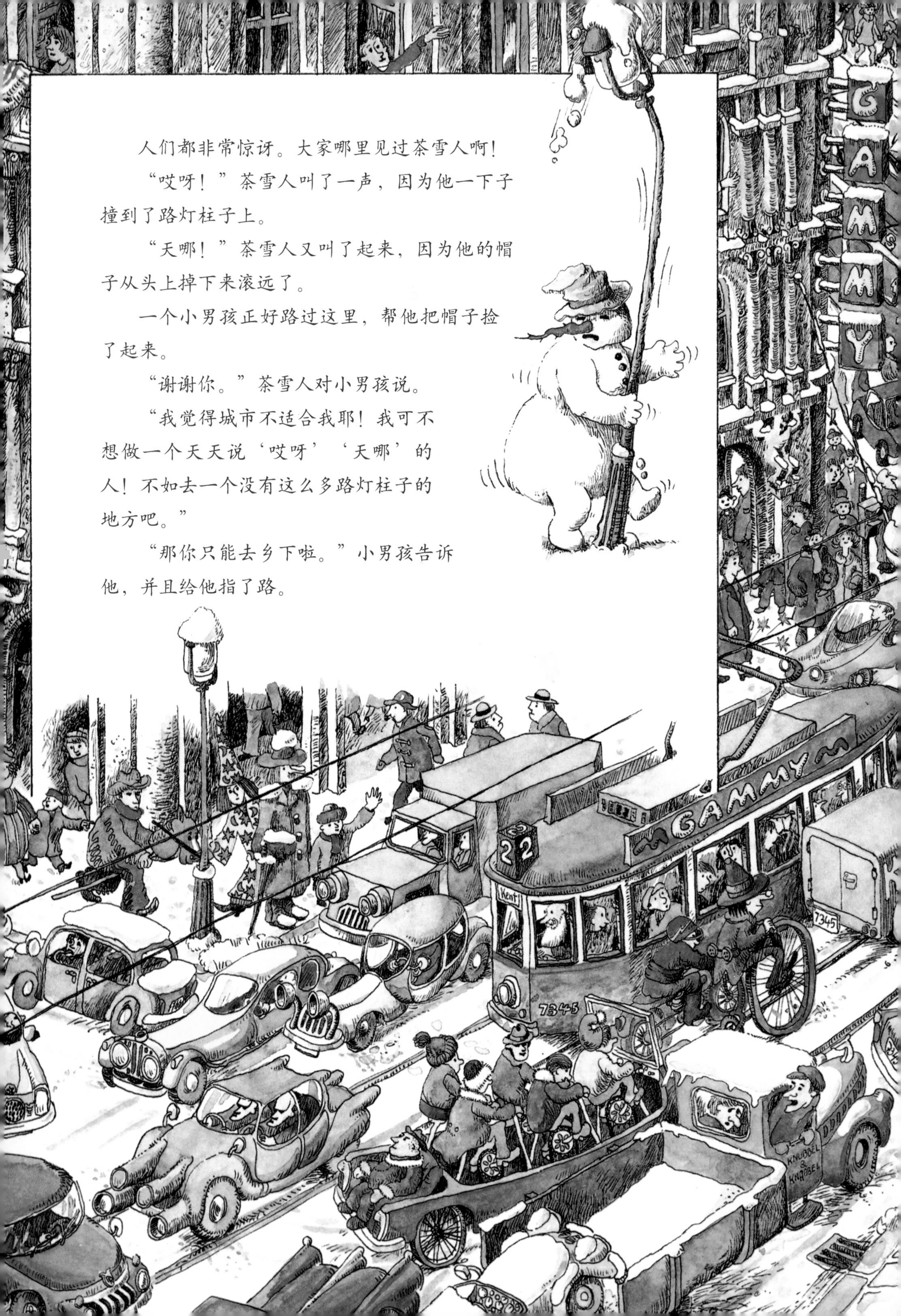

人们都非常惊讶。大家哪里见过茶雪人啊！

“哎呀！”茶雪人叫了一声，因为他一下子撞到了路灯柱子上。

“天哪！”茶雪人又叫了起来，因为他的帽子从头上掉下来滚远了。

一个小男孩正好路过这里，帮他把帽子捡了起来。

“谢谢你。”茶雪人对小男孩说。

“我觉得城市不适合我耶！我可不想做一个天天说‘哎呀’‘天哪’的人！不如去一个没有这么多路灯柱子的地方吧。”

“那你只能去乡下啦。”小男孩告诉他，并且给他指了路。

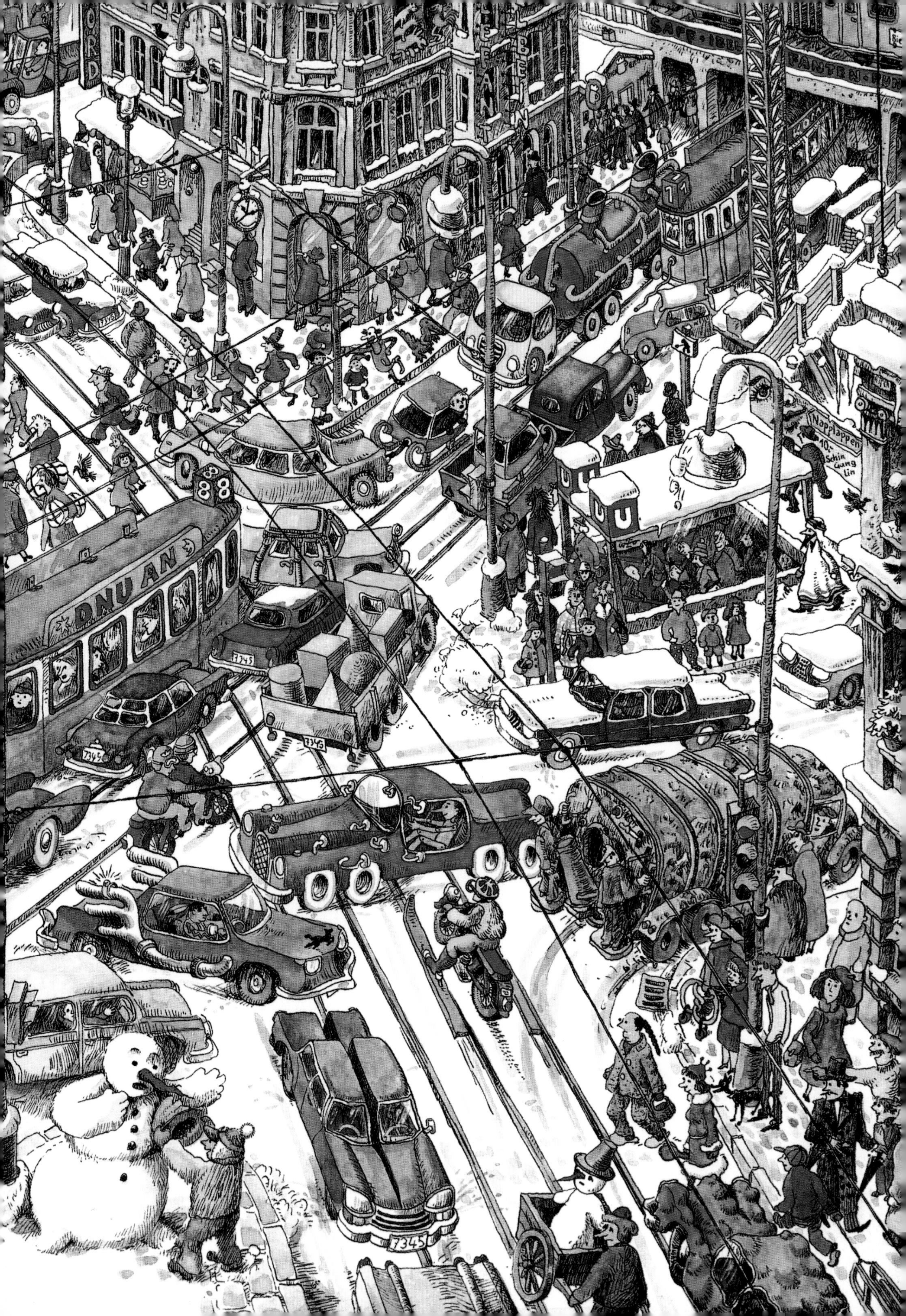

SAPP·IBEL
FANTEN·PUN
Napplappen
10,-
Schin
Gang
lin
DNU AN
88
7345

茶雪人迈开雪白的脚丫出发了，他一会儿就来到了开阔的原野上。

原野上白茫茫一片。

田野和草场上都覆盖着厚厚的白雪。

“真美啊！”茶雪人欢呼起来。

他左看看右瞧瞧，世界多么美丽啊！

这时，一只乌鸦飞过来，落在了他的头顶上。

“嗨，你在我的红花草场上干什么呢？”乌鸦问。

“什么是红花草场？”茶雪人问道。

乌鸦说：“到了夏天，这里到处会是一片绿色，红花草会开放出红色的花朵。”

“那太美了！”茶雪人说，“那我可以做一个红花草人吗？”

“不行，那可不行。”乌鸦说，“到了夏天，这里就热起来了。那时所有的雪人都会融化成雪水的。”

“融化成雪水？”茶雪人很惊讶。

“天哪！我觉得红花草场也不适合我耶。不如去一个没有夏天的地方吧。”

“那你就只能往北走啦。”乌鸦说，“你要一直走到有北极熊的地方，那里永远都是白色的天地，而且天气永远也不会变热。”

“太好了！”茶雪人欢呼着，“请问那个地方离这里远吗？”

“很远很远哦！你最好能搭乘一块浮冰去那里。这个时候，浮冰正好可以在河面上移动哦。”

于是，乌鸦在前面飞，茶雪人拖着沉沉的步子跟在后面。

他们来到河边，细心挑选了一块不大不小的浮冰。

“就要它了！”茶雪人一边大声欢叫，一边抬起脚跳上了浮冰。

“祝你旅行愉快！”乌鸦大声对茶雪人说，“路上要当心哦，茶雪人，你现在已经变成一名水手啦。”

茶雪人乘坐着浮冰顺着大河往远方漂流。

他路过了一片片田野和一座座森林，又经过了很多村庄和城市。

他从无数座桥下穿过。

他日夜不停地往前赶路，最后终于来到了大海上。

接着他便横渡大海，越漂越远……

如果你们想问，茶雪人最后是不是到达了北极熊那里呀？

是的，他到达了。

如果你们想问，他过得好吗？

是的，他过得不错。他甚至好得不得了呢。

如果你们想问，我怎么会知道这些呢？

告诉你吧，这是一只海鸥带来的消息。

这只海鸥在北极熊的故乡看见过茶雪人，然后告诉了那只乌鸦。

乌鸦又告诉了那个帮茶雪人捡过帽子的小男孩。

小男孩又告诉了小丽萨。

哈哈，最后，小丽萨又告诉了我。